El camino del agua

Dirección editorial: Cristina Arasa
Coordinación de la colección: Mariana Mendía
Edición: Mónica Romero Girón
Formación: Javier Morales
Traducción: Mónica Romero Girón

El camino del agua

Título original en coreano: 비가 올거야, 눈이 올거야

Texto e ilustraciones © Dawoolim, 2010
Los derechos de esta edición fueron negociados con Dawoolim
a través de The ChoiceMaker Korea Co.
Todos los derechos reservados.

Primera edición: abril de 2015
D.R. © 2015, Ediciones Castillo, S.A. de C.V.
Castillo ® es una marca registrada.
Mundo Mosaico ® es una marca registrada.
Insurgentes Sur 1886, Col. Florida.
Del. Álvaro Obregón.
C.P. 01030, México, D.F.

Ediciones Castillo forma parte del Grupo Macmillan.

www.grupomacmillan.com
www.edicionescastillo.com
infocastillo@grupomacmillan.com
Lada sin costo: 01 800 536 1777

Miembro de la Cámara Nacional de la Industria Editorial Mexicana.
Registro núm. 3304

ISBN: 978-607-621-253-0

Impreso en México/*Printed in Mexico*

El camino del agua

Da-jeong Yu • Ilustraciones de **Mi-ye Jeong**

S
xz
Y

castillo
A Macmillan Education Company

El agua circula por el cielo,
la tierra y el mar.

Al amanecer, el agua se eleva como una espesa capa de niebla
sobre las montañas centinelas y el mar somnoliento.

Gotas de agua titilan como un rocío
claro y brillante sobre cada hoja verde
y sobre cada telaraña.

El agua se convierte en esponjosas nubes
que flotan por encima de las aves en vuelo.

Cuando las nubes se vuelven pesadas
y el cielo se oscurece, comienza a llover.

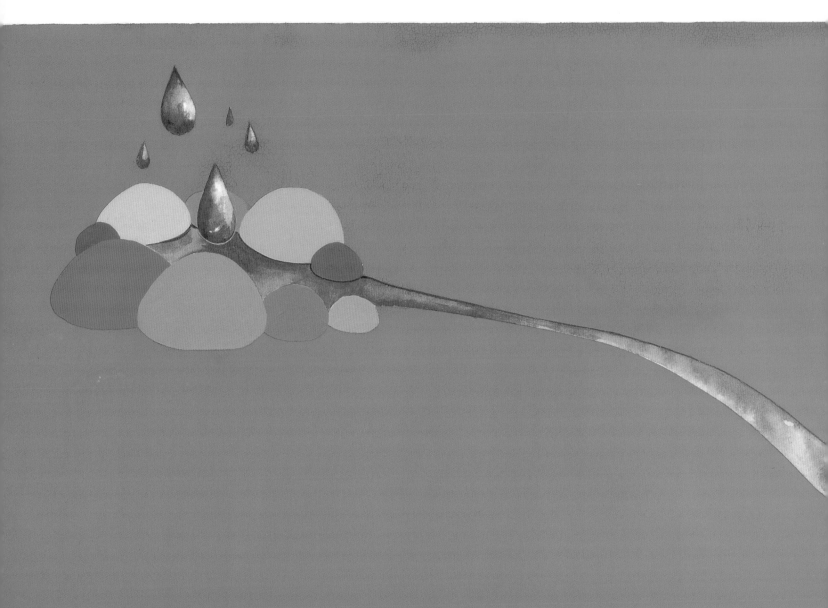

Las gotas de lluvia se unen
para formar un hilo de agua
y luego un arroyo.

El arroyo crece, corre a lo largo
del valle, a través del espeso bosque
y alrededor de grandes rocas.

El arroyo cae por un acantilado.
Salpica y levanta una gran nube
de fina llovizna: se convierte
en una cascada.

A la sombra de una montaña,
el agua descansa en un tranquilo
y apacible lago. Los pájaros velan
su serenidad mientras los peces
bailan en él.

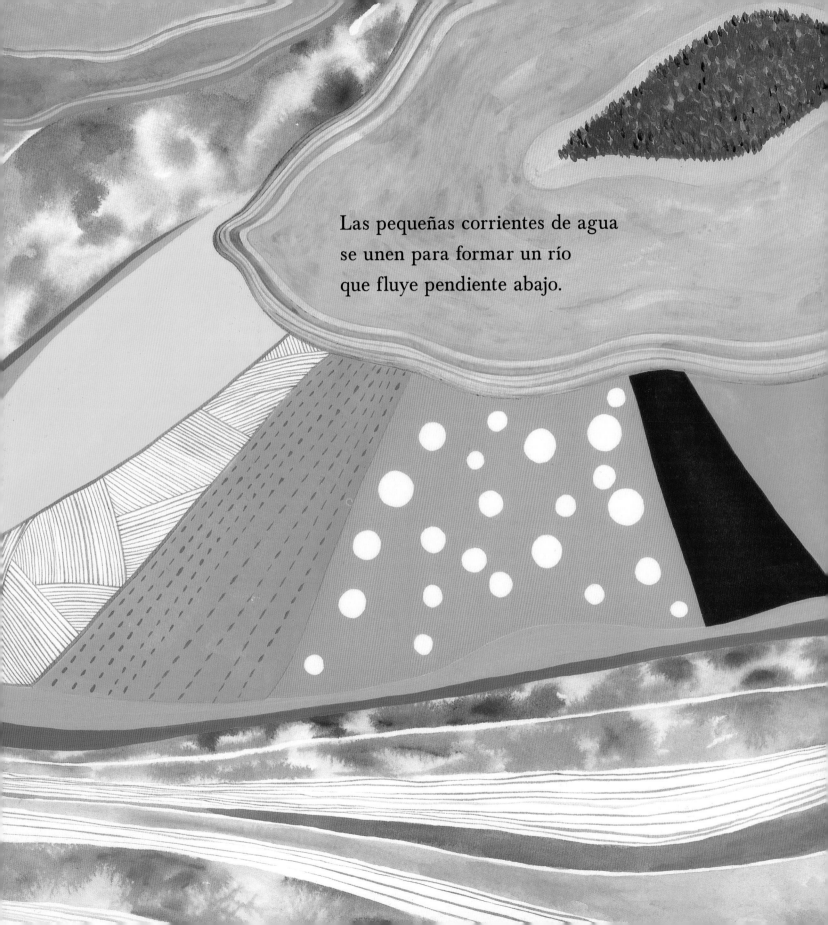

Las pequeñas corrientes de agua
se unen para formar un río
que fluye pendiente abajo.

Cuando el agua del río desemboca
en el mar, forma remolinos de espuma.
Ahora es parte de la vida del océano.

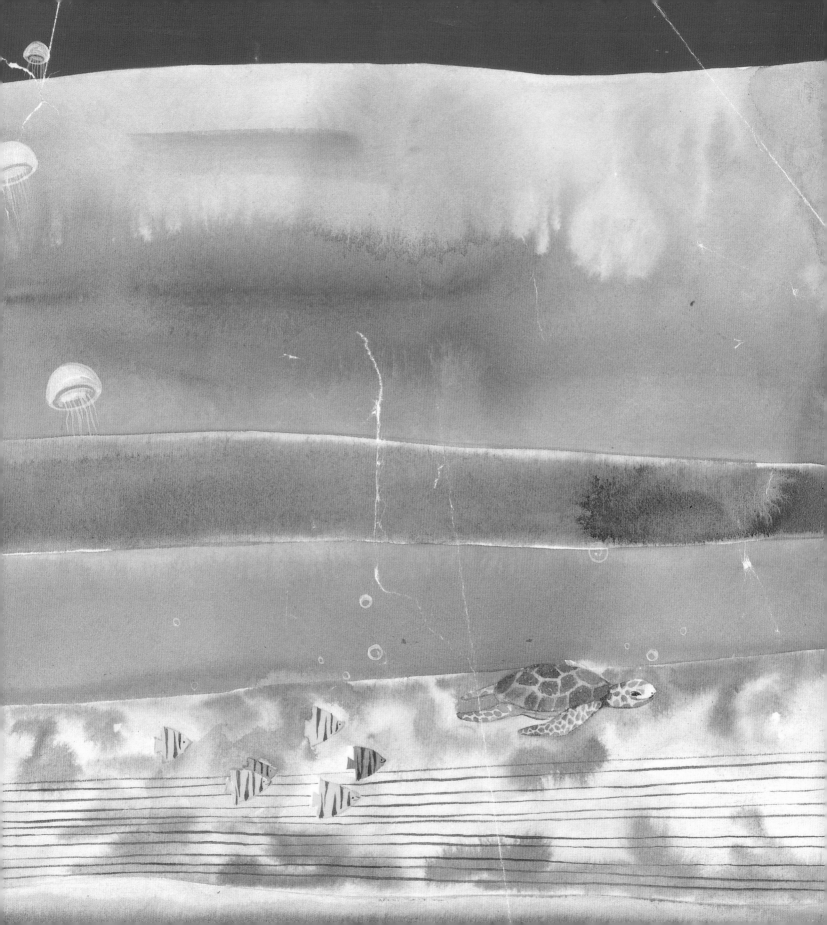

Y, cuando el mar recibe el cálido sol de la mañana,
una espesa capa de niebla se eleva y el ciclo comienza otra vez.

Impreso en los talleres de
Impresos Santiago, S.A. de C.V.
Trigo 80-A, Col. Granjas Esmeralda,
Delegación Iztapalapa, C.P. 09810,
México, Distrito Federal.
Abril de 2015.